ULTIMATE SPIDER-MAN

LA VICTIME

BILL JEMAS
BRIAN MICHAEL BENDIS
Scénario

BRIAN MICHAEL BENDIS
Dialogues

MARK BAGLEY
Dessin

ART THIBERT
DAN PANOSIAN
Encrage

STEVE BUCCELLATO
MARIE JAVINS
COLORGRAPHIX & JC
Couleurs

RAM
Lettrage

NICOLE DUCLOS
Traduction

RALPH MACCHIO
JOE QUESADA
Rédaction USA

STAN LEE PRÉSENTE

ULTIMATE SPIDER-MAN

Créé en 1962, Spider-Man est devenu en l'espace de quelques années le plus populaire des super-héros américains.

A l'origine, Peter Parker était un adolescent très studieux rejeté par ses 'camarades' de lycée. Après avoir été mordu par une araignée radioactive lors d'une expérience scientifique, il a acquis les pouvoirs proportionnels d'une araignée et manifesté une force et une rapidité hors du commun. Capable de marcher sur les murs, il s'est aussi découvert un sixième sens qui l'avertit en cas de danger. Avec les années, Peter est passé de l'adolescence à l'âge adulte au fil d'innombrables séries Marvel Comics relatant ses tribulations. Aujourd'hui, Peter a 25 ans, il est marié à un top model, Mary Jane, et ses aventures sont toujours publiées dans le monde entier. Mais avec quarante ans d'histoire derrière lui, ce Spider-Man intimide un peu les nouveaux lecteurs qui hésitent à prendre le train en route. C'est la raison pour laquelle Marvel a créé un nouveau Spider-Man qui, tout en conservant l'essence du personnage des origines, repart à zéro dans de nouvelles aventures où les jeunes lecteurs retrouvent Peter Parker sous les traits d'un adolescent de 15 ans et assistent à ses débuts. C'est ce que vous allez découvrir dans les pages suivantes : le mythe Spider-Man revisité dans un nouvel univers baptisé 'Ultimate'. Le scénario a été concocté par Bill Jemas, le P.D.G. de Marvel, et Brian Michael Bendis, l'auteur attitré de *Ultimate Spider-Man*. Quant à la lourde tâche de revamper les principaux protagonistes du comic, elle incombe au dessinateur Mark Bagley. Cet ouvrage rassemble les trois premiers épisodes de la série, autrement dit la première partie de la saga *Pouvoir et Responsabilité*.

Reprints *Ultimate Spider-Man* 1-3. Copyright : © 2000, 2001 Marvel Characters Inc. Tous droits réservés. Ultimate Spider-Man et tous les personnages de ce numéro sont la propriété de Marvel Characters Inc. et cette publication est sous licence de Marvel Characters Inc. © 2001 Presses Aventure pour la présente édition. © 2001 Marvel France pour la traduction et le lettrage.
Imprimé en Italie : Novastampa, via Lussemburgo 6, 37135 Verona. ISBN : 2-89543-030-8 Publié par **Presses Aventure** une filiale de Modus Vivendi Inc. 3859, autoroute des Laurentides, Laval (Québec) H7L 3H7 Dépôt légal: 3ème trimestre 2001 Bibliothèque nationale du Québec Bibliothèque nationale du Canada

EHPÉRIENCE 02 N.56
SUJET : ARACHNIDE N.00

VOUS AIMEZ LA MYTHOLOGIE GRECQUE, JUSTIN ?

PAS VRAIMENT.

VOUS CONNAISSEZ LE MYTHE D'ARACHNÉ ?

PAS DU TOUT, MR OSBORN.

ON RACONTE QUE ATHÉNA... VOUS CONNAISSEZ ? ATHÉNA, DONC, AURAIT ENTENDU DIRE QU'UNE SIMPLE MORTELLE... COMME VOUS ET MOI... ÉTAIT MEILLEURE TISSEUSE QU'ELLE.

TISSEUSE ?

ATHÉNA EN FUT TRÈS FÂCHÉE. ELLE DESCENDIT SUR TERRE ET DÉTRUISIT LES ŒUVRES DE LA MORTELLE.

TYPIQUE-MENT FÉMININ.

EN VOYANT CELA... QU'ELLE AVAIT FÂCHÉ LES DIEUX ET QUE SON TRAVAIL AVAIT ÉTÉ DÉTRUIT... LA JEUNE FILLE SE PENDIT.

ATHÉNA EUT ALORS PITIÉ D'ELLE ET LUI TOUCHA LE FRONT AVEC UN LIQUIDE MAGIQUE EN DISANT :

"TU NE MOURRAS PAS, ARACHNÉ. TU VAS ÊTRE MÉTAMOR-PHOSÉE ET TISSERAS À JAMAIS."

SUR CES MOTS, ARACHNÉ RÉTRÉCIT ET DEVINT TOUTE NOIRE.

SON NEZ ET SES OREILLES TOMBÈRENT, PUIS SES DOIGTS SE TRANSFORMÈRENT EN PATTES...

LE RESTE SE TRANSFORMA EN ABDOMEN D'OÙ ELLE TIRA SA TOILE POUR L'ÉTERNITÉ.

MR OSBORN ?

BRIAN MICHAEL BENDIS & BILL JEMAS
SCÉNARIO

BRIAN MICHAEL BENDIS
SCRIPT

MARK BAGLEY
DESSIN

ART THIBERT
ENCRAGE

STEVE BUCCELLATO COULEURS   **SOPHIE VIÉVARD** TRADUCTION   **RAM** LETTRAGE

RALPH MACCHIO & BOB HARRAS RÉDACTION USA

LES TESTS DONNENT D'EXCELLENTS RÉSULTATS. NOUS SOMMES EN PLEIN DEDANS POUR L'INSTANT. QUOI ? SUR TOUT... MAMMIFÈRES... INSECTES.

MAIS C'EST L'ARAIGNÉE QUI DONNE LES RÉSULTATS LES PLUS... SI JE POUVAIS TESTER ÇA SUR DES HUMAINS, JE LE FERAIS... EN COMMENÇANT PAR VOUS. OUI, L'EXPÉRIMENTATION HUMAINE VIENDRA BIENTÔT. NOUS CHERCHONS D'ORES ET DÉJÀ...

DITES-LUI QUE C'EST MON ENTREPRISE ET MA DÉCOUVERTE ET QUE SI ÇA NE LUI PLAÎT PAS... EXACTEMENT. CE SONT LES ENTREPRISES OSBORN, PAS... BON, D'ACCORD.

DU MOMENT QUE JE GARDE LE CONTRÔLE, ÇA ME CONVIENT.

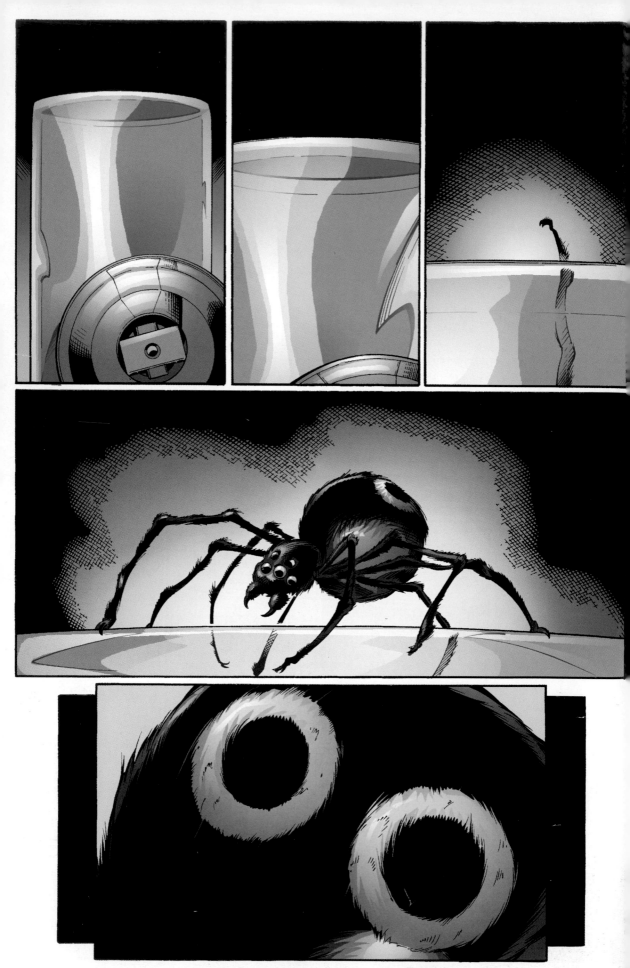

CARBONATE DE SODIUM... C'EST BIZARRE. JE ME DEMANDE SI...

PAS BANAL COMME COMPOSÉ...

CENTRE COMMERCIAL WESTWOOD, DANS LE QUEENS...

AHH !

ON REMET ÇA ! HA-HA !

T'ES TARÉ !

DIS DONC... J'AI COMPLÈTE-MENT OUBLIÉ DE TE DIRE...

QUOI ?

JE SUIS PRIVÉE DE SORTIES.

HEIN ?

J'AI SÉCHÉ LE DERNIER JOUR.

OUI...

BEN, DU COUP, JE SUIS PUNIE ET...

MAIS ENFIN, TOUT LE MONDE SÈCHE LE DERNIER JOUR !

ILS ONT APPELÉ CHEZ MOI MAIS J'Y SUIS PAS ALLÉE.

T'Y ES PAS ALLÉE ?

NON, JE TE DIS.

HOULÀ...

OUAIS.

ALORS, JE LUI DIS : "IL A DIT QUOI ?" ET ELLE ME DIT QU'IL A DIT QUE SON PORTABLE MARCHAIT PLUS. QUEL SALAUD, HEIN ?

MM-MM.

ALORS, JE LUI AI DIT DE LUI DIRE...

... QU'IL POUVAIT CREVER !

BIEN VISÉ, KING KONG !

GOOOAAL!

VOUS ÊTES VRAIMENT DÉBILES, LES MECS !

HÉ, PETER...

ONCLE BEN ? QU'EST-CE QUE TU FAIS LÀ ?

JE CROYAIS QUE TU ME DÉPOSAIS, C'EST TOUT.

C'EST PAS MARY JANE, LÀ-BAS ?

IL FALLAIT QUE JE M'ACHÈTE UN PANTALON.

POURQUOI MARY JANE NE VIENT PAS S'ASSEOIR ICI ?

MARY... MARY JANE ?

VIENS PAR ICI, PETITE !

TU ES BELLE À COUPER LE SOUFFLE.

ELLE EST PAS MAGNIFIQUE, PETER ?

HEU... SI. BIEN SÛR.

PPPFTT !

ALORS, MARY, QU'EST-CE QUE ÇA DONNE LE PROJET SUR LEQUEL VOUS BOSSEZ AVEC PETER ?

IL NE VOUS A PAS DIT ?

OH... JE VOULAIS PAS L'ENNUYER...

ON S'EN EST BIEN TIRÉS.

NORMAL. COMME TOUJOURS.

AU LYCÉE DU QUEENS...

AAAH !

GOOOAAL!

ALORS, T'EN DIS QUOI, CETTE FOIS ?

PAS MAL, MON VIEUX.

HÉ, LES GARS ! VOUS POUVEZ PAS LUI FOUTRE LA PAIX DEUX MINUTES ?

T'ES QUOI, SA NOUNOU, HARRY ?

QU'EST-CE QUE C'EST QUE TOUT CE BRUIT ? QU'EST-CE QUI SE PASSE ICI ?

HARRY OSBORN, THOMPSON ? VOUS N'AVEZ PAS UN ENTRAÎNE-MENT ? GO !

OUI, M'SIEUR...

AÏE. IL A PAS L'AIR CONTENT, PARKER.

PARKER, NE LAISSE PAS CES TYPES T'EMBÊTER. SI ÇA RECOMMENCE, VIENS ME VOIR...

TOUT JUSTE.

AH, OUAIS... TU L'AS PRIS SOUS TON AILE !!!

VA TE FAIRE VOIR.

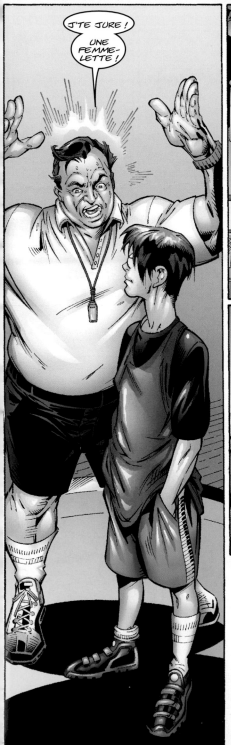

C'EST ÇA.

OH, NON.

TOUCHE PAS ÇA.

C'EST... HEU... FRAGILE.

QU'EST-CE QUE C'EST ?

TU VAS PAS FAIRE SAUTER LE BAHUT, HEIN ?

MAIS NON.

EN FAIT... C'EST... HEU...

MON **PÈRE** BOS-SAIT SUR QUELQUES BREVETS.

CELUI-CI CONCERNAIT UNE MOLÉCULE ADHÉSIVE...

IL AVAIT DÉJÀ TROUVÉ LES ÉQUATIONS DES COMPOSANTS LES PLUS COMPLEXES...

... ET...

BON... JE VOIS.

JE VAIS TE LAISSER.

BYE...

ON A APPELÉ TA TANTE. ELLE VA VENIR TE CHERCHER AU LYCÉE.

EST-CE QUE ÇA VA MIEUX ?

OUI... ÇA DOIT ÊTRE LE CHOC. CETTE ARAIGNÉE ÉTAIT ÉNORME !

OH, ÇA OUI !

TA TANTE VA T'EMMENER À L'HÔPITAL, DONC...

TU N'AS PAS À AVOIR HONTE, PETER. ÇA AURAIT PU ARRIVER À N'IMPORTE QUI.

SAUF QUE C'EST TOUJOURS À MOI QUE ÇA ARRIVE !

MAIS NON.

OUI...?

VOUS N'ALLEZ PAS ME CROIRE, MAIS...

ALORS ?

RENTREZ.

VOUS ÊTES SÛR ?

JE PEUX ALLER CHEZ LUI ET...

RENTREZ !

JE VEUX L'ÉTUDIER, PAS LE TUER !

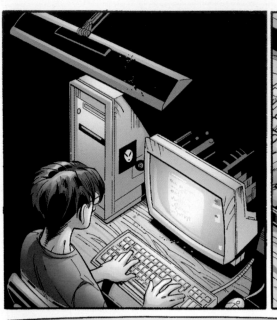

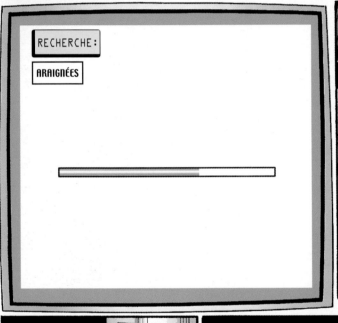

RECHERCHE:

ARAIGNÉES

DE NOMBREUSES PERSONNES PENSENT À TORT QUE LES ARAIGNÉ SONT DES INSECTES...

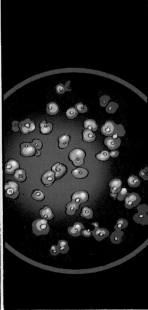

TIENS, TIENS... INTÉRES-SANT.

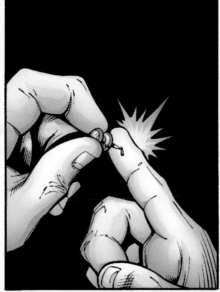

LES ARAIGNÉES

Prosoma

Le corps de l'araignée est divisé en deux parties : le céphalothorax ou *prosoma*, et l'abdomen ou *opisthosoma*. Elle possède quatre paires de pattes fixées sur la partie avant du corps qui abrite également le cerveau, l'estomac, des crocs et jusqu'à huit grands yeux...

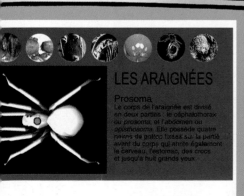

LES ARAIGNÉES

Prosoma

Le corps de l'araignée est divisé en deux parties : le céphalothorax ou *prosoma*, et l'abdomen ou *opisthosoma*. Elle possède quatre paires de pattes fixées sur la partie avant du corps qui abrite également le cerveau, l'estomac, des crocs et jusqu'à huit grands yeux.

... POSSÈDE UN MÉCANISME SENSORIEL DÉVELOPPÉ LEUR PERMETTANT DE DÉTECTER LES MOUVEMENTS DE...

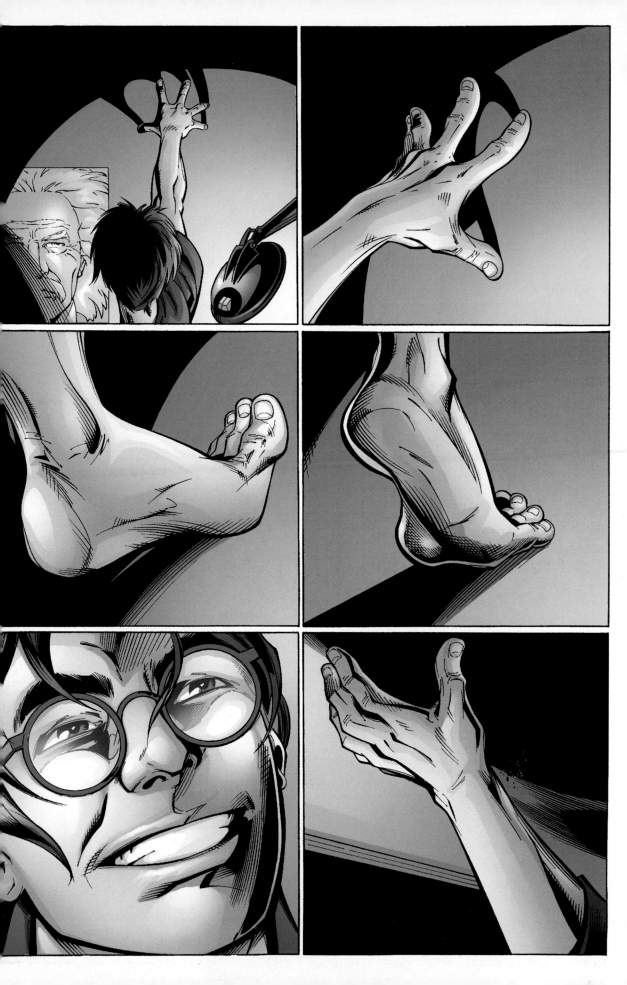

EN 1930, LES RÉPUBLICAINS PRENNENT LE CONTRÔLE DE LA CHAMBRE DES DÉPUTÉS ET ACCENTUENT LES EFFETS DE ? DE ?

LA GRANDE DÉPRESSION.

ILS PROMULGUENT LE ? LE ?

LE DÉCRET DE SMOOT-HAWLEY. EN QUOI CONSISTE-T-IL ?

ALORS ? IL AUGMENTE LES DROITS DE DOUANE POUR LIMITER L'ENTRÉE DE PRODUITS ÉTRANGERS.

QUELS SONT SES EFFETS ? ILS SONT NÉGATIFS ET NE FONT QU'AGGRAVER LA CRISE ÉCONOMIQUE ET FINANCIÈRE.

AUJOURD'HUI, NOUS SOMMES CONFRONTÉS À UN PROBLÈME SIMILAIRE. LEQUEL ?

ALORS ? LEQUEL ?

VOUS AVEZ ENTENDU PARLER DU DÉCRET LAFFER ? DE QUOI S'AGIT-IL ?

EH BIEN, IL S'AGIT À NOUVEAU D'UNE LOI TRÈS CONTROVERSÉE SUR LES TARIFS DOUANIERS.

SAVEZ-VOUS COMMENT L'A QUALIFIÉE LE VICE-PRÉSIDENT BUSH EN 1981 ? IL A PARLÉ DE ? DE ?

ÇA FINISSAIT PAR D-O-U-E...

ÉCONOMIE VAUDOUE

QU'EST-CE QUI CLOCHE CHEZ MOI ? MINCE, JE MARCHE SUR LES MURS ET L'INSTANT D'APRÈS, JE SUIS GOGOL.

MAINTENANT, JE ME SENS BIEN... SUPER BIEN. ET TOUT ÇA À CAUSE D'UNE MOR-SURE D'ARAIGNÉE ? Y A UN LÉZARD.

UN DOCTEUR, PEUT-ÊTRE. SI ÇA SE TROUVE, JE VAIS MOURIR. NON, JE ME SENS TROP BIEN ET...

FAUT QUE JE TROUVE QUELQU'UN À QUI PARLER SANS QU'ON M'ENFERME À L'ASILE. TANTE MAY... ELLE PARTIRAIT EN VRILLE.

D'OÙ ÇA SORT, ÇA ? !

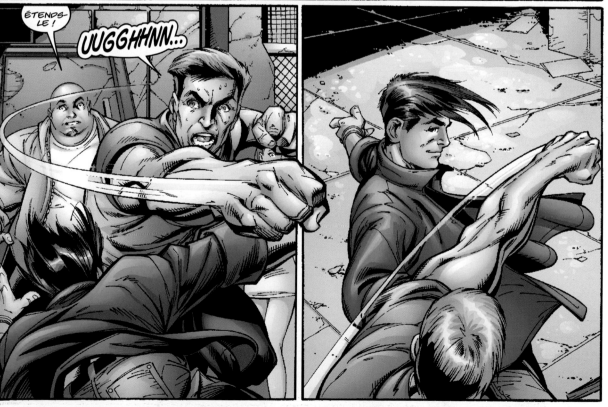

JE SUIS SÉRIEUX. JE VEUX PAS ME BATTRE...

BEN T'AURAIS DÛ Y PENSER AVANT DE...

CRRRRKK

NNGG... AAHH !

OH, PUTAIN ! GGLLG... MA MAIN...

JE LUI AVAIS DIT QUE JE VOULAIS PAS ME BATTRE.

AAAHH !

OUI, BIEN SÛR, JE SUIS DÉSOLÉ POUR VOUS.

SUPER.

OUI, C'EST REGRETTABLE. MAIS IL PARAÎT QUE VOTRE FILS MENAIT LA VIE DURE À PETER. IL S'EST JUSTE DÉFENDU ET...

PAS DU TOUT. JE...

ALORS ?

2500$ DE FRAIS D'HÔPITAL ET SI ON NE...

QUOI ?

SI ON NE PAIE PAS, ILS PORTENT PLAINTE.

J'Y CROIS PAS !

OH, MON DIEU ! QU'EST-CE QU'ON VA FAIRE ?

QU'EST-CE QUI EST MIEUX ? DE SE FAIRE METTRE SUR LA PAILLE PAR UN AVOCAT OU DE PAYER ?

BEN...

IL LUI A CASSÉ LA MAIN. ON N'A PAS LE CHOIX.

OSBORN INDUSTRIES
NOUS CONSTRUISONS VOTRE AVENIR

JE T'ASSURE, HARRY. JE RÊVE DE BOSSER ICI UN JOUR.

AH OUI ?

C'EST VRAI !

JE SAIS.

POURQUOI ON EST LÀ ?

MON PÈRE EST MAL À CAUSE DE L'ARAIGNÉE ET IL SAIT QUE SON BOULOT TE BRANCHE. ALORS, IL VA TE FAIRE VISITER...

C'EST COOL DE SA PART.

ANORMALEMENT COOL.

VENANT DE LUI.

HÉ, DOC OCK !

VOICI LE DOCTEUR OTTO OCTAVIUS.

DOC OCK ?

DOCTEUR OCTAVIUS.

C'EST UNE GROSSE TÊTE ICI. GROSSE À FAIRE PEUR.

IL PARAÎT QUE TU ES FORT EN SCIENCES.

BEN, EUH... HÉ, ÇA ME PLAIRAIT D'AVOIR UN DE CES 9-640.

C'EST UN MODÈLE DÉPASSÉ.

SI VOUS LE JETEZ, PENSEZ À MOI.

HÉ, DARLENE ! T'ÉTAIS OÙ ?

J'ATTENDAIS QUE TU SOIS PUBÈRE.

COOL ! JE LE SUIS DEPUIS LE DÉBUT DE LA SEMAINE !

PETER, ON M'A PARLÉ DE CE FÂCHEUX INCIDENT AVEC L'ARACHNIDE...

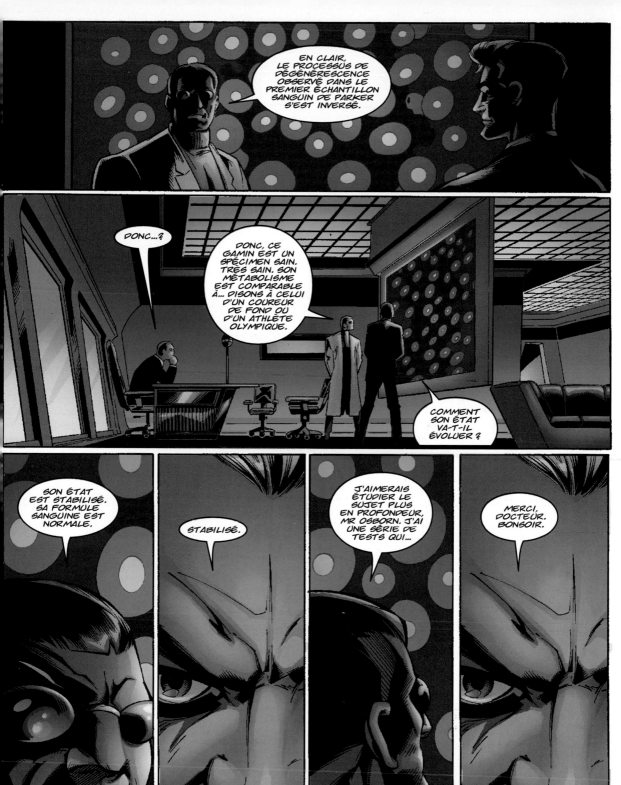

EN CLAIR, LE PROCESSUS DE DÉGÉNÉRESCENCE OBSERVÉ DANS LE PREMIER ÉCHANTILLON SANGUIN DE PARKER S'EST INVERSÉ.

DONC...?

DONC, CE GAMIN EST UN SPÉCIMEN SAIN. TRÈS SAIN. SON MÉTABOLISME EST COMPARABLE À... DISONS À CELUI D'UN COUREUR DE FOND OU D'UN ATHLÈTE OLYMPIQUE.

COMMENT SON ÉTAT VA-T-IL ÉVOLUER ?

SON ÉTAT EST STABILISÉ. SA FORMULE SANGUINE EST NORMALE.

STABILISÉ.

J'AIMERAIS ÉTUDIER LE SUJET PLUS EN PROFONDEUR, MR OSBORN. J'AI UNE SÉRIE DE TESTS QUI...

MERCI, DOCTEUR. BONSOIR.

JE DIS À SHAW DE FINIR LE JOB ?

NON.

NON ?

NON, CE SERAIT UNE ERREUR. SES PARENTS, L'ÉCOLE. IL Y A TROP D'OBSTACLES. SANS PARLER DE L'AUTOPSIE. ILS REMONTERAIENT JUSQU'À NOUS.

ON LUI FAIT D'AUTRES TESTS ?

ENCORE FAUT-IL QU'IL Y AIT MATIÈRE À TESTER. NON, ON REPRODUIT L'ACCIDENT.

SUR UN HUMAIN ?

MÊMES SITUATION ET SPÉCIMEN. CONTRÔLEZ L'ENVI-RONNEMENT.

LANCEZ LE FICHIER.

TOUT DE SUITE... LA SUITE !

"C'EST LÀ... OUI."

"C'EST À CE MOMENT QUE L'ARACHNIDE OZ "OO" MORD LE PETIT PARKER."

"DANS UN PREMIER TEMPS, LES EFFETS BIOLOGIQUES SUR PARKER ÉTAIENT NÉGATIFS."

"ET SES CHANCES DE SURVIE TRÈS MINCES."

"MAIS NOUS PENSONS MAINTENANT QUE LE MÉLANGE VENIN + OZ A PRODUIT L'EFFET INVERSE DANS SON SYSTÈME."

"AVANT MÊME QU'ON AIT TESTÉ SON INFLUENCE SUR LES GÈNES...

"... L'OZ A MODIFIÉ LES COMPOSANTES PHYSIOLOGIQUES DE PARKER D'UNE MANIÈRE TOUT À FAIT RÉVOLUTIONNAIRE."

"C'ÉTAIT UN ACCIDENT, MAIS C'EST NOTRE PREMIER COBAYE HUMAIN.

"IL NOUS PROUVE QUE LE MOMENT EST VENU."

"TU PEUX ÉTEINDRE."

GRAINE DE STAR

BRIAN MICHAELBENDIS ET BILL JEMAS
SCÉNARIO

BRIAN MICHAEL BENDIS
DIALOGUES

MARK BAGLEY
DESSIN

ART THIBERT
ENCRAGE

MARIE JAVINS & COLORGRAPHIX COULEURS RALPH MACCHIO JOE QUESADA RÉDACTION USA NICOLE DUCLOS TRADUCTION RAM LETTRAGE

JE SUIS PARTANT !

FAUT AVOIR PLUS DE 21 ANS. NAVRÉ.

HUH ?

ASSURANCE OBLIGE.

PUTAIN ! C'EST TROP NUL !

T'ES UN GOL, CRUSHER !

SORS TON PERMIS ET ON CAUSERA.

ÇA ME TROUE !

PARKER, BLASTE-LE.

TU SAIS QUOI, FLASH ?

MONTE SUR LE RING, TOI.

SI TU PERDS, TES PARENTS POUR-SUIVRONT CEUX DE CRUSHER.

WHOAAH ! PARKER A MARQUÉ UN POINT !

L'ÉLÈVE DÉPASSE LE MAÎTRE, SENSEI THOMPSON.

TA GUEULE !

JE ME TIRE D'ICI DE PEUR D'ÊTRE INTOXIQUÉE À LA TESTOSTÉRONE.

CRUSHER EST KO ! IL EST VAINCU !

J'Y CROIS PAS !

IL A MIS UNE RACLÉE À CRUSHER !

QUI ES-TU, HOMME MASQUÉ ?

MONTRE TON VISAGE À LA FOULE !

FAIS BRILLER LA THUNE.

TU ES UN PRO ?

DEPUIS PEU.

VIENS À L'ARÈNE LUNDI SOIR ET TU PARTICIPERAS À MON SHOW.

TU PAIES CASH ?

SI C'EST LA CONDITION, OK.

À LUNDI.

ÇA VA ?

T'ES PAS LE PREMIER À M'ENVOYER AU TAPIS !

J'EN AI JAMAIS DOUTÉ.

COMMENT JE...

TU SAURAS QUE C'EST MOI.

PERIOD

HOME
114
VISITOR
26

VOILÀ POUR TOI, "SPIDER-MAN".

ÇA VA, CRUSHER ?

AU POIL.

JE T'AI PAS FAIT MAL ?

POUSSE PAS.

FAUT QUE TU ME DONNES TON NUMÉRO DE TÉLÉPHONE, CHEF.

NAVRÉ. JE PEUX PAS.

JE VOIS. TU COMPTES ME MENER LA VIE DURE ?

POURQUOI PAS ?

TON DÉGUISEMENT, ÇA EXCITE SURTOUT LES NANAS.

J'ESPÈRE BIEN.

MAIS SI J'APPRENDS QUE TU ME FAIS DES ENTOUR-LOUPES...

TU ME LOURDES ?

TE FAIS PAS DE SOUCI.

OK, PETIT MALIN.

TÂCHE DE REVENIR VENDREDI SOIR.

AVEC ÇA SUR LE DOS.

JE L'AI FAIT FAIRE POUR TOI.

AH ?

TE VEXE PAS MAIS...

... AVEC TES NIPPES...

... T'AS L'AIR D'UN DEMEURÉ.

NNNAARGGHH!

LES AUTEURS

BRIAN MICHAEL BENDIS & MARK BAGLEY

Les critiques ont commencé à dire beaucoup de bien de cet artiste complet qu'est **Brian Michael Bendis** (il est à la fois scénariste et dessinateur) après la publication de *Torso* – un trade paperback dédié à la vie du célèbre policier américain Elliott Ness, le chef des 'Incorruptibles', qui lui a valu un Eisner Award. Passionné par tous les aspects de la fiction policière, Bendis a écrit et dessiné d'autres maxi-séries comme *Goldfish*, *Fire* ou *Jinx*, toutes publiées par la section 'alternative' d'Image Comics. Cinéphile invétéré, Bendis a révélé tous les secrets des coulisses de Hollywood dans le très caustique *Fortune & Glory* édité chez Oni Press. Bendis décrit son expérience personnelle à Hollywood et ses vaines tentatives pour adapter un de ses comic-books à l'écran dans un film qui n'a jamais vu le jour à cause d'innombrables problèmes de production. Plus récemment, Bendis a transposé l'ambiance glauque et urbaine qui lui est chère dans l'univers coloré des super-héros, en travaillant tout d'abord avec Todd McFarlane sur les séries *Hellspawn* et *Sam & Twitch*. Il a fait ses débuts dans le 'monde Marvel' grâce à son ami Joe Quesada qui lui a

Brian Michael Bendis

concours puor jeunes talents organisé par Jim Shooter, alors rédacteur en chef de Marvel. Mike Higgins, le responsable éditorial de la ligne New Universe, lui a alors proposé de travailler pour lui. Bagley a pu développer ses talents, tout en prouvant qu'il était un professionnel capable de tenir ses délais. Il a atteint la célébrité dans les années 90 grâce à *New Warriors*, une série qu'il a réalisée en collaboration avec Fabian Nicieza et qui lui a ouvert les portes de *Amazing Spider-Man* dont il est devenu le dessinateur attitré.

Par la suite, Bagley a fait équipe avec Kurt Busiek pour lancer *Thunderbolts*, une série post-Onslaught dont le succès a été immédiat. Cinquante épisodes plus tard, Il a quitté *Thunderbolts* pour *Ultimate Spider-Man* à la demande de Bill Jemas qui apprécie beaucoup son style. Mark vit en Géorgie avec ses filles et sa femme Patty.

proposé d'écrire plusieurs épisodes de *Daredevil* et la mini-série *Daredevil: Ninja*. Puis Bendis le prolifique a signé les scénarios de *Ultimate Spider-Man* (il a renoncé à écrire *Ultimate X-Men* au profit de Mark Millar) et *Ultimate Marvel Team-Up*, il a relancé *Elektra* en réalisant les six premiers épisodes de sa série régulière et inauguré la ligne Marvel 'pour adultes' avec *Alias* avant de devenir le scénariste attitré de *Daredevil*. Comme si ça ne suffisait pas, il écrit aussi sa propre série, *Powers*, que met en images l'artiste Mike Oeming. Véritable 'Marvel self-made-man', **Mark Bagley** a été recruté, il y a des années, par la Maison des Idées après avoir gagné avec son *Marvel Try-Out Book* un

Mark Bagley